देवताओं के वाहन

विष्णु और गरुड़

शुभा विलास

An imprint of Om Books International

गरुड़ विनता और ऋषि कश्यप के पुत्र थे। वे आधे मनुष्य और आधे गिद्ध थे। उनका मुख, चोंच, पंख और पंजे तो गिद्ध के थे, परंतु शरीर मनुष्य का था।

एक बार विनता अपनी बहन और सहपत्नी कद्रू से शर्त हार गई। कद्रू ने वास्तव में छल करके विनता को अपनी दासी बना लिया था।

गरुड़ अपनी माँ की दुर्दशा से बहुत दुःखी थे और अपनी माँ को कद्रू के बंधन से मुक्त कराना चाहते थे। इसलिए, वे देवलोक से अमृत या मीठा मधु लाने के लिए मान गए, जो कद्रू और उसके सर्प-पुत्रों को शक्तिशाली और अमर बना देगा।

गरुड़ वह करने को तैयार हो गए जो पहले कभी किसी ने नहीं किया था। उन्होंने इंद्रलोक से दिव्य अमृत चुराने के लिए अपने हृदय और आत्मा से प्रयास करने की ठान ली। यह एक घातक लक्ष्य था, जिससे उनके प्राण संकट में पड़ जाते, लेकिन उन्हें अपनी माँ को मुक्त कराने के लिए प्रयास करना पड़ा।

जाने से पहले वे अपने माता-पिता का आशीर्वाद चाहते थे। विनता ने वायु देवता और अग्नि देवता से सुरक्षा प्राप्त करके उन्हें आशीर्वाद दिया। गरुड़ फिर हिमालय की ओर उड़ गए। उन्होंने अपने ध्यानमग्न पिता का आशीर्वाद लिया, जिन्होंने उन्हें एक विशाल हाथी और एक कछुए को खाकर अपना पूरा पोषण करने का सुझाव दिया। गरुड़ ने निर्देशों का पालन किया और ऐसा करने पर, उन्होंने न केवल शारीरिक रूप से दृढ़ता और पुष्टता का अनुभव किया, अपितु मानसिक रूप से भी तरोताज़ा हो गए।

गरुड़ अपने गंतव्य स्थल इंद्रलोक पहुँचे, जहाँ अमृत रखा था। परंतु वे यह देखकर अवाक् रह गए कि उस पर सेना का कड़ा पहरा था। एक अकेला गिद्ध लाखों की सेना को कैसे परास्त कर सकता है? लेकिन दृढ़ निश्चयी गरुड़ हार नहीं मानना चाहते थे, न ही घर वापस जाना चाहते थे। अपनी माँ की आशा पूरी न होने के विचार ने उन्हें उस दिशा में सोचने से भी रोक दिया।

उन्होंने साहस किया और बुद्धिमत्ता से युद्ध करने का निर्णय किया। उन्होंने अपने विशाल पंख फड़फड़ाए और धूल भरी आँधी उठायी। थोड़ी सी हवा के रूप में आरंभ हुआ तूफान शीघ्र ही एक बवंडर में बदल गया जिसने पूरी सेना को उड़ा दिया। कुछ ही समय में, उन्होंने एक ऐसी सेना को परास्त कर दिया जिससे लड़ने में किसी को भी कई दिन, अपितु कई सप्ताह लग जाते।

एक बार ऐसा हो जाने के बाद, उन्होंने उस दीवार पर क़दम रखा जिससे देवलोक (स्वर्ग) में प्रवेश किया जाता था। लेकिन भीतर का कक्ष बहुत गर्म था। अमृत तक पहुँचने के लिए उन्हें अग्नि की दीवार को पार करना पड़ा और जलने के संकट का सामना भी करना पड़ा।

अचानक, उन्हें पता चला कि क्या करना है। वे पृथ्वी पर वापस आए और समुद्र में गोता लगाया। उन्होंने अपनी चोंच में बहुत सारा जल लिया, तेज़ी से लौटे और अग्नि बुझा दी।

वे अब स्वर्ण कलश को स्पष्ट रूप से देख सकते थे जिसमें दिव्य अमृत था, परंतु यह अभी भी उनकी पहुँच से बाहर था। उन्हें दो विशाल नुकीले पहियों के बीच से निकलने की एक कष्टदायक बाधा को पार करना था, जो उनके टुकड़े-टुकड़े कर सकते थे।

अब गरुड़ ने बहुत छोटा रूप धारण कर लिया, मच्छर जितना छोटा, और तेज़ नुकीले भागों से फिसल गए। इस प्रकार, अंततः दिव्य अमृत तक पहुँच गए।

तभी गरुड़ को पता चला कि वे फँस गए हैं, जब उन्होंने कलश के दोनों ओर फन उठाए दो विशाल विषैले सर्पों को देखा, जो उन्हें मारने के लिए समीप आ रहे थे।

गरुड़ ने तुरंत अपने पंख, जितनी शक्ति और जितनी तीव्रता से फड़फड़ा सकते थे, फड़फड़ाना आरंभ कर दिया। गरुड़ के पंखों की तेज़ हवा ने साँपों को कलश से बाहर धातु की चक्रिका पर फेंक दिया। धातु की चक्रिका ने उन्हें टुकड़ों में काटने का काम किया।

अब चुनौती अपने चारों ओर घूमती चक्रिकाओं का सामना करते हुए अमृत के कलश को ले जाने की थी। फिर गरुड़ ने अपना विस्तार करना प्रारंभ कर दिया। जैसे-जैसे वे बड़े होते गए, धातु की चक्रिकाएँ टुकड़ों में बिखर गईं, और उन्होंने अमृत का कलश लिया और स्वर्ग से पृथ्वी की ओर उड़ गए।

मार्ग में उनकी भेंट इंद्र से हुई। इंद्र इस बात से बहुत आश्चर्यचकित थे कि कोई उनके राज्य से इतनी सरलता से अमृत चुरा सकता है। यह देखकर कि वे गरुड़ को युद्ध में पराजित नहीं कर पाएँगे, उन्होंने गरुड़ से सर्पों को अमृत न देने की विनती की। गरुड़ अपनी माँ के मुक्त होने पर अमृत लौटाने को तैयार हो गए।

इस बीच, भगवान विष्णु गरुड़ को ध्यान से देख रहे थे। उनकी बुद्धिमत्ता, उनकी करुणा और उनकी माँ की सेवा करने की इच्छा से प्रभावित होकर, भगवान विष्णु ने एक प्रस्ताव रखा।

“क्या आप मेरे वाहक बनेंगे, गरुड़?” गरुड़ प्रसन्न हुए और उन्होंने यह असाधारण प्रस्ताव स्वीकार कर लिया।

गरुड़ ने अपनी माँ को दासता से मुक्त कराने के उद्देश्य से साहसिक कार्य प्रारंभ किया था। उस निस्वार्थ कार्य से उन्हें भगवान विष्णु की सेवा करने का अवसर प्राप्त हुआ। इससे उन्हें भगवान विष्णु के जीवन में उड़ान भरने और अपने जीवन का उद्देश्य ढूँढने में सहायता मिली।